Stéphane Guégan

Manet
inventeur du **Moderne**

the Man Who Invented **Modernity**

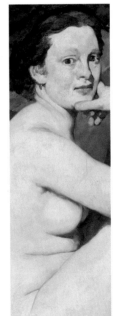

Gallimard

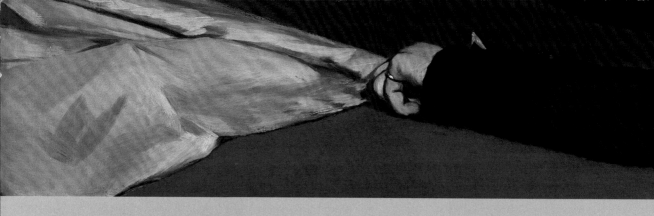

Le danger Manet
par Stéphane Guégan

Le Déjeuner sur l'herbe (ill. p. 15), *Olympia* (ill. p. 16), *Le Fifre* (ill. p. 26), *Nana*... Édouard Manet fut et reste, dans notre mémoire saturée de poncifs, le grand martyr du XIXᵉ siècle. Le crucifié. L'homme des scandales à répétition. La bête noire de Cabanel et Gérôme, le paria du « Salon de Monsieur Bouguereau ». Un malpropre et une menace. Théophile Gautier, dès 1865, l'épingle d'une formule paradoxale : « M. Manet a cet honneur d'être un danger. » Le mot fait mouche, relayé par la caricature qui campe notre peintre en fossoyeur du beau ou en dandy malsain. Un peintre qui violente si obstinément la leçon des maîtres, en apparence, ne saurait marcher droit... Des premières attaques à sa sanctification *post mortem*, du Salon des Refusés au panthéon de Malraux, la légende de Manet s'est amplifiée et fossilisée. L'ancienne victime de la censure officielle pouvait désormais incarner la résistance au « stupide XIXᵉ siècle », et sa liquidation à travers l'avènement de la « peinture pure ».

Bien sûr, la carrière de Manet n'a pas été que miel et tapis de roses. Peu d'artistes s'étaient auparavant attirés pareils sarcasmes, peu furent si méprisés par l'administration des Beaux-Arts. Pas plus que le Second Empire, la IIIᵉ République ne lui aura acheté la moindre toile ni commandé le premier tableau. Quelques médailles de second ordre, au Salon, rien de plus. Un fumiste, pour les uns, un raté, pour les autres. Manet, de l'avis général, conjuguait laideur de fond et déficit de forme. Ernest Chesneau, en 1863, résuma la pensée du grand nombre : « Manet aura du talent le jour où il saura le dessin et la perspective. » Mal conçue, mal fichue, cette peinture ne s'expliquait d'aucune manière. Un vrai sphinx. Que nous dit-elle ? Que nous veut-elle ? Ils furent nombreux ceux qui posèrent ces questions ou passèrent sans regarder. Bonnes questions, d'ailleurs. C[...] sans doute le privilège des peintres réalistes les plus radic[...] que de rester longtemps peu ou mal compris, au-delà d'[...] poignée d'amateurs. Manet eut les siens ! Le mythe du pein[...] maudit a longtemps réduit au silence les rares voix qui s'éle[...] rent dès 1863 pour reconnaître en lui l'artiste le plus novate[...] et le plus déterminé, de sa génération. Manet, à leurs yeux, é[...] le Delacroix de la modernité. Le seul de son époque à pouv[...] révolutionner tous les genres traditionnels et traduire « la [...] présente » avec l'ambition et la force des vieux maîtres. Un v[...] peintre d'histoire, à sa manière.

Du reste, Manet n'a jamais perdu de vue le monde de l[...] et ses règles, le Salon et ses limites, la presse et ses app[...] pour ne pas parler des écrivains qu'il a côtoyés en permanen[...] et illustrés à l'occasion, de Baudelaire à Mallarmé. Qui d'au[...] que lui, entre 1861 et 1883, aura su se lier avec le meilleur d[...] littérature du moment ? En tirer prestige, émulation, inspirati[...] Par ses origines sociales, sa formation chez Thomas Coutur[...] son besoin obsessionnel du public, Manet n'aurait pu agir [...] féremment. De même faut-il réviser nos idées sur son rapp[...] à la tradition, qu'il s'agisse de sa fine connaissance du Louv[...] de son usage des reproductions et des photographies en pl[...] essor, de ses voyages en Italie, en Hollande et en Espagne,[...] de sa capacité à croiser réalisme et romantisme. Pendant vi[...] ans, selon les situations à dompter et les sujets à peindre[...] a fait montre d'une audace et d'une souplesse uniques. Ma[...] n'aura reculé devant rien, pas plus l'image du Christ, le co[...] des femmes que l'actualité politique la plus brûlante. C'est [...] danger-là qui doit nous retenir.

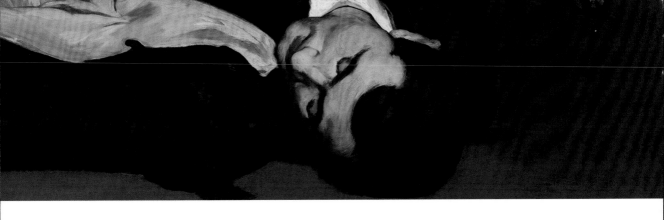

The Danger of Manet
by Stéphane Guégan

Déjeneur sur l'herbe (ill. p. 15), *Olympia* (ill. p. 16), *The Fifer* (ill. p. 26), *ana...*, in our cliché-filled memory, Édouard Manet was and emains the great martyr of the 19th century. The one they cruci-ed. The man of endless scandals. The man Cabanel and Gérôme oved to hate, the pariah of the "Salon of Monsieur Bouguereau." n unsavory character, a menace. In 1865 Théophile Gautier ade the paradoxical statement: "M. Manet has the honor of eing a danger." The phrase resonated, and was relayed by aricatures of our painter as the gravedigger of beauty or as n unhealthy dandy. A painter who seemed to trample on the essons of the masters. From the first attacks to his posthu-ous canonization, from the Salon des Refusés to Malraux's antheon, Manet's legend has grown and fossilized. The former ictim of official censorship could now embody the resistance o the "stupid 19th century," and its elimination through the dvent of "pure painting."

Of course, Manet's career was not all honey and roses. Few rtists before him had received such sarcasm, and few were eld in such scorn by the Fine Arts administration. The Second mpire never purchased the least canvas nor commissioned ne painting from him, and nor did the Third Republic. A few econd-class medals at the Salon were his only recognition. or some he was a phoney, for others a failure. But all agreed at Manet was both inadequate as to form and ugly as to ubstance. In 1863, Ernest Chesneau summed up the general eeling: "Manet will show himself talented the day he learns raftsmanship and perspective." Poorly conceived, poorly xecuted, there was no way of explaining this painting. A real phinx. What does it say to us? What does it want from us?

Many asked such questions or simply walked straight past without a glance. They are actually good questions. No doubt the privilege of the most radical realist painters is to long remain misunderstood to all save a handful of fanatics. Manet had his! For a long time, the myth of the accursed painter has drowned the rare voices that were raised as early as 1863 to hail him as the most innovative—and determined—artist of his generation. They saw Manet as the Delacroix of modernity; the only one in his day capable of revolutionizing all the traditional genres and translating modern life with the ambition and power of the old masters—a real history painter.

Manet in fact never lost sight of the world of art and its rules, the Salon and its limits, the press and its media, not to mention the writers he always mixed with, and illustrated now and again, from Baudelaire to Mallarmé. Who but Manet, between 1861 and 1883, contrived to forge ties with the best that contemporary literature then had to offer? To draw prestige, emulation, and inspiration from it? Given his social background, his education from Thomas Couture and his craving for public recognition, Manet could not have acted in any other way. Likewise, we need to revise our ideas regarding his relationship with tradition, whether it be his expert knowledge of the Louvre, his use of increasingly popular reproductions and photographs, his trips to Italy, Holland, and Spain, or his ability to merge realism and romanticism. For twenty years he demonstrated a unique bold-ness and flexibility, depending on the situations to be tamed and the subjects to be painted. Manet rose to every challenge, be it the image of Christ, female bodies, or the most burning political issues of the day. It is this we must remember.

Portrait de Manet

Henri Fantin-Latour
Portrait d'Édouard Manet

1867, huile sur toile, 117,5 × 90 cm
Chicago, The Art Institute of Chicago

« Un dandy égaré dans la bohème ! »
Cette formule, que Gautier appliqua
à Baudelaire, il est tentant d'en user
pour Manet. Exposé au Salon de 1867,
le portrait d'Henri Fantin-Latour ne
constituait pas seulement un gage
d'amitié, vérifiée par la dédicace
clairement lisible. À cette date, Manet
symbolise la modernité proscrite, le
grand refusé de 1863 et de 1866, l'homme
d'*Olympia* surtout. L'image, à l'évidence,
s'amuse à redresser la légende du
dynamiteur. Vêtu d'un veston, d'un gilet
et d'un pantalon bien coupés, le peintre
y apparaît « fort distingué ». La critique
ne s'y trompe pas : « Eh ! oui, ce jeune
homme correct, bien gardé, bien couvert,
qu'on prendrait pour un héros du turf,
c'est le peintre du chat noir ; dont la
renommée s'est faite dans un éclat de
rire, et que l'on se figurait sous les traits
d'un rapin chevelu [...] et maintenant
qu'il l'a vu si bien mis, le public est
capable de lui trouver beaucoup plus de
talent. » Le portrait, stratégiquement,
lançait la rétrospective que Manet
préparait en marge de l'Exposition
universelle. Une image de promotion
et presque d'autoproclamation !

Henri Fantin-Latour
Portrait of Édouard Manet

1867, oil on canvas, 117.5 × 90 cm
Chicago, The Art Institute of Chicago

"A dandy who has lost his way in Bohemia!"
It is tempting to apply this description
of Baudelaire by Gautier to Manet. The
portrait by Henri Fantin-Latour shown at
the Salon of 1867 was more than just the
token of friendship inscribed in the clearly
legible dedication. At the time, Manet
symbolized rejected modernity, the great
refusé of 1863 and of 1866, and above all the
great man of *Olympia*. This portrait seems
designed to rehabilitate the image of the
dynamiter. Dressed in well-tailored jacket,
waistcoat and trousers, the painter appears
"very distinguished." The critics got the
message: "Ah, yes! This very proper young
man who is well groomed, well dressed,
whom one would mistake for a racetrack
aficionado, is the painter of the black cat,
and who has been depicted as a long-haired
dauber . . . now that it has seen him so well
turned out, the public is capable of finding
him a lot more talented." The portrait
strategically launched the retrospective
that Manet was preparing on the fringe
of the Universal Exhibition. An image of
promotion and almost self-proclamation!

« L'auteur *** que sa modestie m'empêche de
nommer. »
Caricature de Randon, « L'exposition d'Édouard
Manet », *Le Journal amusant*, 29 juin 1867

"The author ****, who's modesty stops me
naming."
Caricature by Randon, "The exhibiton of Édouard
Manet," *Le Journal amusant*, June 29, 1867

Édouard Manet
Portrait de M. et Mme M[anet]
1860, huile sur toile, 111,5 × 91 cm
Paris, musée d'Orsay

Des convenances bourgeoises, aplomb et discrétion, ce double portrait n'a que l'apparence. Il s'en dégage, au contraire, une note douloureuse et presque un malaise. Le père du peintre, qui devrait symboliser la force et l'ordre, y semble prostré, étranger à la scène, étranger à soi ; et Mme Manet, que la corbeille de laine renvoie à l'espace domestique, se penche sur son mari avec tristesse. On ne peut pas dire que leur fils ait cherché à séduire facilement... La construction sévère et la tonalité sombre de la toile s'accordent à l'impression de drame sous-jacent. En vérité, au moment où Manet prend la décision de le peindre, son père va mourir. Depuis trois ans, ce haut fonctionnaire du ministère de la Justice était rongé par les effets dévastateurs d'une syphilis mal soignée, cause d'une aphasie croissante. Au Salon de 1861, l'accueil du tableau fut plutôt réservé : « Mais quel fléau dans la société qu'un peintre réaliste ! Pour lui, rien de sacré : M. Manet foule aux pieds des affections plus saintes encore. M. et Madame M... ont dû maudire plus d'une fois le jour qui a mis un pinceau aux mains de ce portraitiste sans entrailles. »

Édouard Manet
Portrait of M. and Mme M[anet]
1860, oil on canvas, 111.5 × 91 cm
Paris, Musée d'Orsay

Bourgeois proprieties, aplomb and discretion are no more than outward signs in this double portrait. What emerges to the contrary is a painful note, a malaise almost. Here the painter's father, who should really stand for strength and order, seems prostrate, alien to the scene, alien to himself; and Mme Manet, whom the basket of woolen threads places in a domestic setting, leans sadly over her husband. The canvas's severe construction and somber tone accord well with the underlying feeling of tragedy. The truth is that by the time Manet decided to paint him, his father was already dying. For three years, this senior civil servant at the ministry of Justice was eaten away by the devastating effects of syphilis that had gone without proper treatment, and he was gradually becoming unable to speak. The painting received a fairly cool reception at the Salon of 1861: "But what a scourge to society a realist painter is! For him, nothing is sacred: M. Manet tramples over even more sacred affections. More than once M. and Mme M. . . . must have cursed the day that placed a paintbrush in the hands of this gutless portraitist."

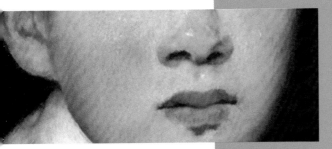

Édouard Manet
Boy with a Sword

1861, oil on canvas, 131.1 × 93.4 cm
New York, The Metropolitan Museum of Art

The sitter for this painting—the same width as the portrait of Manet's parents, but greater in height and more imposing—was Léon Koëlla-Leenhoff (1852–1927), whose identity is still being debated. His mother, Suzanne, was Manet's brothers' piano teacher before becoming the painter's mistress and later his companion. As for the father—was it the artist, who always treated Léon like a son? We have reasons to believe so. But in that case, it is surprising that he never legally recognized him. Are we to believe that Suzanne's "crime" was even more "monstrous"? Some Manet specialists are now taking a different view whereby Léon was not Manet's son, but his half-brother, the secret son by Manet's own father! Be that as it may, this repressed paternity has shrouded the pictures of Léon in a doubt and mystery that the painter has exploited to the full.

The anxious sentimentality of the *Boy with a Sword*, awkwardly clutching the too heavy weapons close to him, has an eye all at once on Couture, Caravaggio, and Goya: "Had the artist always painted such heads," Zola stated in 1867, "he would have been a great favorite with the public."

Édouard Manet
L'Enfant à l'épée

1861, huile sur toile, 131,1 × 93,4 cm
New York, The Metropolitan Museum of Art

De même largeur que le portrait des parents de Manet, mais plus haut et plus imposant, le tableau a pour modèle Léon Koëlla-Leenhoff (1852-1927), dont l'identité reste débattue. Sa mère, Suzanne, fut le professeur de piano des frères de Manet avant de devenir la maîtresse, puis la compagne du peintre. Quant au père ? S'agit-il de l'artiste, qui a toujours traité Léon en fils ? Nous avons des raisons de le penser. On s'étonne toutefois qu'il ne l'ait jamais reconnu officiellement. Faut-il croire que le « crime » de Suzanne était encore plus « monstrueux » ? Certains spécialistes de Manet penchent aujourd'hui pour une autre thèse : Léon ne serait pas le fils de Manet, mais son demi-frère, le fils caché de son propre père ! Quoi qu'il en soit, cette paternité enfouie a empreint les images de Léon d'un doute et d'un mystère dont la peinture a tiré profit. La sentimentalité inquiète de *L'Enfant à l'épée*, embarrassé d'une arme trop lourde qu'il serre contre lui, regarde à la fois vers Couture, Caravage et Goya : « Si l'artiste avait toujours peint de pareilles têtes, affirmait Zola en 1867, il aurait été choyé du public. »

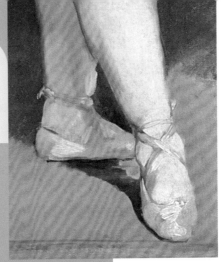

Lola

de Valence

« Lola de Valence ou l'*Auvergnate espagnole*. Ni homme, ni femme ; mais qu'est-ce que ce peut être ?... je me le demande. » Caricature de Randon, *Le Journal amusant*, 29 juin 1867

"Lola de Valence or the *Spanish Auvergnate*. Neither man nor woman; but what can this be? . . . I wonder." Caricature by Randon, *Le Journal amusant*, June 29, 1867

Édouard Manet
Lola de Valence

1862-1863, modifié après 1867, huile sur toile, 123 × 92 cm
Paris, musée d'Orsay

La passion de Manet pour l'Espagne déborde la seule peinture, étudiée au Louvre, chez les collectionneurs privés et à la faveur des reproductions de Zurbarán, Vélasquez et Goya, dont toute l'époque s'est entichée. On sait que le peintre affectionne particulièrement les stridences syncopées de la guitare andalouse et les sortilèges du flamenco. Les danseuses espagnoles, omniprésentes à Paris sous le Second Empire, abondent dans ses tableaux. L'une des plus célèbres, Lola Melea, appartenait à la troupe du Théâtre royal de Madrid. Durant l'été 1862, il n'est vent que de leur prestation. Musique, mouvements sauvages et décharge physique, tout enchante Manet. Il peint alors Lola à l'arrêt, en position de ballerine triomphante, bien plantée sur ses jambes robustes, dans son costume de lumière. La jeune femme, qui affiche tous les accessoires de son hispanité éternelle, se présentait d'abord sur un fond sombre et neutre, à la Vélasquez. Sa robe d'une facture heurtée n'en était alors que plus explosive. Mais le portrait final, désormais en situation, a conservé « le charme inattendu d'un bijou rose et noir », que Baudelaire attribuait au tableau dans le quatrain qu'il lui dédia.

Édouard Manet,
Lola de Valence

1862–63, modified after 1867, oil on canvas
123 × 92 cm
Paris, Musée d'Orsay

Manet's passion for Spain extended beyond just paintings studied at the Louvre, among private collectors and through reproductions of Zurbarán, Velázquez, and Goya, which were popular at the time. We know that the painter was especially fond of the strident syncopated tones of the guitar in Andalucía, and the charms of flamenco. Spanish dancers were omnipresent in Paris during the Second Empire, and there are many of them in his paintings too. One of the best known, Lola Melea, was a member of the Royal Theater Company in Madrid. During the summer of 1862, their performance was the subject that monopolized every conversation. Manet loved everything about it, the music, the wild movements, and the physical release. He then painted Lola at rest in the position of the triumphant ballerina, standing firmly on her sturdy legs, in her costume of lights. The young woman, displaying all the trappings of her eternal Spanishness, initially posed against a dark, neutral ground à la Velázquez. Her dress in clashing colors was all the more explosive for it. But the final portrait, now put in context, has kept all the "unexpected charm of a pink and black jewel" that Baudelaire attributed to the painting in the quatrain he dedicated to it.

Édouard Manet
The Street Singer
c. 1862, oil on canvas, 175 × 118.5 cm
Boston, Museum of Fine Arts

A model of Couture's and a petite redhead with winning charms, Victorine Meurent caused a change in Manet's style during the years 1862–63. *Le Déjeuner sur l'herbe* and *Olympia*, unthinkable without her plebeian magnetism, were already works in progress. The fiction of these pseudo-realist paintings requires the young woman to play all kinds of roles with impeccable sovereignty. Here, she seems to be coming out of a café as a refined bohemian—an image of Manet himself—and casts a provocative glance at us in what became her trademark look. The painter captures her between two spaces, two worlds, and two moments. The visual radicality, which possibly owes something to the Japanese print, underlines the ambiguity of the subject matter. In 1863, the critic Paul Mantz talked of a "harsh, ominous" painting: "Manet with his innate bravado has entered the realm of the impossible." Apparently the cherries which Victorine sensuously picks off and lifts to her mouth were an afterthought added at the risk of looking like a collage. This erotic additive passed a few months later into *Le Déjeuner sur l'herbe*.

douard Manet
a **Chanteuse des rues**
ers 1862, huile sur toile, 175 × 118,5 cm
oston, Museum of Fine Arts

Modèle de Couture et petite rousse ux charmes sûrs, Victorine Meurent a infléchir l'évolution stylistique de Manet au cours des années 1862-1863. *Le Déjeuner sur l'herbe* et *Olympia*, mpensables sans son magnétisme lébéien, sont déjà en chantier... La fiction e ces tableaux faussement réalistes blige la jeune femme à jouer toutes ortes de rôles avec une souveraineté ans faille. Ici, elle semble surgir d'un afé en bohème raffinée – une image e Manet lui-même – et nous jeter un egard provocant – ce sera toujours sa marque. Le peintre la saisit entre deux espaces, deux mondes et deux moments. La radicalité plastique, qui doit peut-être quelque chose à l'estampe japonaise, souligne l'ambiguïté du propos. Le critique Paul Mantz, en 1863, parle d'un tableau dur et sinistre : « M. Manet est entré avec sa vaillance instinctive dans le domaine de l'impossible. » Apparemment, les cerises, dont Victorine détache sensuellement celles qu'elle porte à sa bouche, ont été ajoutées *in extremis*, au risque d'un effet de collage. Cet adjuvant érotique passera dans *Le Déjeuner l'herbe*, quelques mois plus tard.

Édouard Manet
Le Déjeuner sur l'herbe
1862-1863, huile sur toile, 208 × 264 cm
Paris, musée d'Orsay

Son statut d'« icône » moderne, statut
absurde, fausse désormais la perception
d'un tableau que Manet pensa pour le
Salon de 1863 et dont il fondait le succès
potentiel sur la présence d'un beau nu et
sur quelques références appuyées à la
grande tradition. Raphaël d'un côté, Titien
de l'autre. Si charge il y avait, elle n'était
pas dirigée contre les vieux maîtres que
cette œuvre ambitieuse avait vampirisés ;
elle visait la peinture pseudo-classique
et les préjugés de la société. Dans
l'intimité, Manet l'appelait sa « partie
carrée ». Deux hommes en veston, deux
femmes en tenue légère ! Et Victorine qui
se tourne vers nous, surprise, comme
si sa nudité de citadine en goguette ne
nous regardait pas. À gauche, en bas,
une nature morte, des fruits, du pain,
des vêtements, autant de symboles
d'une vie sans corset. Le tout dans le
grand format ! Étonnement général,
même de la part des initiés : « Je ne devine
pas ce qui a pu faire choisir à un artiste
intelligent et distingué une composition
si absurde », écrit le critique Théophile
Thoré. Exclu de l'exposition officielle, le
tableau fut montré aux cimaises du Salon
des Refusés. Sa légende commençait.

Édouard Manet
Le Déjeuner sur l'herbe
1862–63, oil on canvas, 208 × 264 cm
Paris, Musée d'Orsay

Its status as a modern "icon," an absurd
status, now gives us a distorted view of a
painting that Manet devised for the Salon
of 1863 and whose potential success he
based on the presence of a fine nude and
on a few obvious references to the great
tradition, Raphael, on the one hand, Titian
on the other. If it was a critique of anything,
it was not aimed at the old masters from
whom this ambitious work had drawn its
lifeblood; it targeted pseudo-classical
painting and society's prejudices. In private,
Manet called it his "partie carrée" (a
partner-swapping foursome). Two jacketed
men, and two scantily dressed women!
And Victorine turned towards us, in surprise,
as if her nudity as a city girl on the binge
were none of our business. In the bottom
left corner is a still life—fruit, bread, and
clothing—all symbols of an untrammeled
lifestyle. All this was in a large format, and
was met with general astonishment, even
on the part of those in the know: "I can't
imagine what made an artist of intelligence
and refinement select such an absurd
composition," wrote the critic Théophile
Thoré. Rejected from the official exhibition,
the painting was hung on the line at the Salon
des Refusés. Its legend started right there.

Le Déjeuner

Olympia

Édouard Manet
Olympia
1863, huile sur toile, 130,5 × 190 cm
Paris, musée d'Orsay

Longuement mûri, sans doute ébauché vers 1862 à partir de dessins qui datent peut-être de son passage chez Couture, *Olympia* peut se lire comme l'apothéose insolente d'une prostituée, qui prend la pose et le nom des courtisanes de la Renaissance. Lors du Salon de 1865, ce ne fut qu'un cri d'horreur ou presque. Manet avait fait entrer brusquement la réalité moderne, délétère, dans le boudoir du beau idéal et les harems de fantaisie. À l'ombre de ce chat aussi impudique que sa maîtresse, Victorine offrait ses formes plébéiennes et enfantines à un public abasourdi. Double choc : ce que l'impure dévoile autant que ce qu'elle cache d'une main ferme. Dernier refuge de l'idéalisme, le nu n'échappe pas à la révision des valeurs qu'impose Manet : « Je dois dire que l'aspect grotesque de ces contributions a deux causes, écrit un critique en 1865 : premièrement, l'ignorance presque enfantine des bases du dessin ; ensuite, un goût prononcé pour une inconcevable vulgarité. [Manet] réussit à provoquer un rire de scandale qui fait que les visiteurs du Salon s'attroupent autour de cette ridicule créature appelée *Olympia*. »

Édouard Manet
Olympia
1863, oil on canvas, 130.5 × 190 cm
Paris, Musée d'Orsay

A long time maturing, doubtless first sketched in around 1862 from drawings that possibly even date back to his days with Couture, *Olympia* may be read as the impudent apotheosis of a prostitute adopting the pose and the name of the courtesans of the Renaissance. At the Salon of 1865, it was met with cries of horror and little else. Manet had suddenly sneaked toxic modern reality into the boudoir of ideal beauty and fantasized harems. In the shadow of that cat—as shameless as its mistress— Victorine offered up her immature plebeian body to the gaze of a dumbfounded public. There is a double shock effect, from both what the impure one reveals and what she hides with a firm hand. As the final refuge of idealism, the nude unavoidably came in for the revision of values imposed by Manet: "I must say that the grotesque aspect of his contributions has two causes, wrote one critic in 1865: first, the almost childish ignorance of the fundamentals of drawing, and then, a prejudice in favor of inconceivable vulgarity. [Manet] succeeds in provoking almost scandalous laughter, which causes the Salon visitors to crowd around this ludicrous creature called 'Olympia'."

« La queue du chat, ou la charbonnière des Batignolles. Chacun admire cette belle charbonnière, dont l'eau, liquide banal, n'a jamais offensé les pudiques contours. »
Caricature de Bertall, *L'Illustration*, 3 juin 1865

"The cat's tail, or the coal-seller of Batignolles. Everyone admires this beautiful coal-seller whose modest curves have never been exposed to so banal a liquid as water. "
Caricature by Bertall, L'Illustration, June 3, 1865

Le Combat

Édouard Manet
Le Combat du « Kearsarge »
et de l'« Alabama »

1864, huile sur toile, 137,8 × 128,9 cm
Philadelphie, Philadelphia Museum of Art

L'été 1864 fut celui des premières
marines, simple pochades, libres comme
l'air, ou vraies compositions, fignolées
en atelier. Avant de séjourner à Boulogne
en juillet, Manet a peint et exposé
chez le marchand Cadart *Le Combat
du « Kearsarge » et de l'« Alabama »*.
Grande toile aux accents nordiques,
malgré sa perspective très relevée, plus
japonaise, la toile se veut un tableau
d'histoire. Loin d'avoir assisté à la
scène décrite, le peintre s'est fié aux
articles et aux illustrations de presse.
La guerre de Sécession venait de faire
des siennes au large de Cherbourg.
L'événement n'intéressait pas seulement
les Américains, dans la mesure où
Napoléon III soutenait la cause du Sud et
les libéraux celle du Nord. Le républicain
Manet saisit donc cette occasion pour
se situer. Son tableau montre la victoire
d'une corvette de l'Union, le *Kearsarge*,
sur l'*Alabama*, bâtiment sudiste. Lors
du Salon de 1872, où le communard
Courbet sera interdit de cité, Manet
devait réexposer le tableau de 1864 et lui
conférer une portée politique renouvelée.
« C'est une sensation de nature et de
paysage [...] très simple et très puissante,
écrit alors Jules Barbey d'Aurevilly. Très
grand – cela – d'exécution et d'idée ! »

Édouard Manet
**The Combat of the *Kearsarge*
and the *Alabama***

1864, oil on canvas, 137.8 × 128.9 cm
Philadelphia, Philadelphia Museum of Art

The summer of 1864 was the time of the
earliest marines, whether mere *pochades*
(rapid oil sketches) as free as the air, or
full-scale compositions finished in the
studio. Before his stay in Boulogne in July,
Manet painted and exhibited *The Combat of
the* Kearsarge *and the* Alabama at Cadart
the art dealer's. This large canvas, with
its Nordic strains, despite its very raised
perspective, which is more Japanese, was
intended as a history painting. Far from
having witnessed the scene depicted,
the painter relied on press articles and
illustrations. The American Civil War had
just seen a battle fought off Cherbourg. The
event was of interest not only to Americans,
inasmuch as Napoléon III had sided with the
South and the Republicans with the North.
Accordingly, the Republican Manet seized
this chance to state his position. His painting
depicts the victory of a Unionist sloop, the
Kearsarge, over the Confederate vessel, the
Alabama. At the Salon of 1872, from which
the Communard Courbet was banned,
Manet would re-exhibit the 1864 painting
and attach fresh political importance to it.
"It is a feeling of nature and landscape, very
simple and very powerful," Jules Barbey
d'Aurevilly wrote at the time. "A very fine
thing this is, in conception and execution!"

« Du fond des eaux, sa dernière demeure,
le fidèle chat de M. Manet suit les détails du
combat. »
Caricature de Bertall, *Le Grelot au Salon de 1872*

"From the bottom of the sea, its last resting
place, M. Manet's faithful cat follows the
details of the battle."
Caricature by Bertall, *Le Grelot au Salon de
1872*

Vase de pivoines
pivoines

Édouard Manet
Vase de pivoines sur piédouche

1864, huile sur toile, 93,2 × 70,2 cm
Paris, musée d'Orsay

Plus d'un quart des tableaux de Manet conservés sont des natures mortes. Le peintre aura donc mêlé aux choses les plus ordinaires la poétique qui lui est propre. Qu'il s'agisse d'huîtres appétissantes, de fruits solitaires, religieusement cadrés, ou encore de pivoines au bref rayonnement, la présence tangible du motif n'est jamais vide de sens. La nature morte intervient principalement aux deux extrémités de la carrière de Manet, au cours des années 1860 et au début des années 1880, quand la maladie va l'obliger à restreindre son champ. Un genre double, donc, lucratif et expéditif. Si la hiérarchie des formats que Manet maintient dans sa peinture suggère que tous les sujets ne sont pas égaux à ses yeux, force est de constater qu'il brossa avec la même ardeur ses grands tableaux, longtemps invendus, et ses premières natures mortes. Elles frappent notamment par leur vigueur en pleine pâte, l'éclat du blanc, du rose, du vert, et l'insistance traditionnelle sur l'éphémère floral, image de notre existence transitoire. La pivoine, sa fleur préférée, meurt en un jour, elle était donc particulièrement adaptée au *memento vivere* que contient chaque Manet.

Édouard Manet
Peonies in a Vase on a Stand

1864, oil on canvas, 93.2 × 70.2 cm
Paris, Musée d'Orsay

Over a quarter of Manet's surviving paintings are still lifes. The painter mixed his own personal poetry with the most everyday objects. Whether it be appetizing oysters, solitary fruit religiously framed, or briefly blooming peonies, the tangible presence of the motif is never devoid of meaning. Most of Manet's still lifes date from the extremities of his career, from the 1860s, and the early 1880s when he had to cut back on his activity owing to illness. So the genre was doubly valuable, being quick to produce and lucrative. While the hierarchy of formats that Manet maintains in his painting suggests that all subjects are not equal in his eyes, we have to note that he put just as much effort into painting his early still lifes as into his great pictures, which long remained unsold. They are striking most notably for their vigorous impasto, the bright whites, pinks and greens, and the traditional emphasis on the shortlived nature of flowers, reflecting the transience of existence. His favorite flower, the peony, dies in a day, so it was especially suited to the *memento vivere* contained in every Manet.

Édouard Manet
**Le Christ mort et les Anges
(Le Christ aux anges)**
1864, huile sur toile, 179,4 × 149,9 cm
New York, The Metropolitan Museum of Art

Édouard Manet
Jésus insulté par les soldats
1864, huile sur toile, 195 × 150 cm
Chicago, The Art Institute of Chicago

La volonté ferme qu'eut Manet de
revivifier la peinture religieuse a
toujours été mal comprise. Or elle fut
essentielle au milieu des années 1860 et
ne se réduit pas à l'hispanisme militant
dont elle s'est enveloppée. Il est vrai que
Greco et Zurbarán, Vélasquez et Goya
lui servirent d'antidote aux
bondieuseries du Second Empire,
victime de la routine et l'archaïsme
de ceux qui travaillaient pour
l'administration ou l'Église. De culture,
sinon de foi catholique, le peintre ne
traite pas à la légère la figure du Christ,
au-delà des perspectives d'achat ou de
commande. Au symbole des souffrances
de l'humanité, à l'interrogation
métaphysique, s'ajoute la métaphore
romantique du créateur bafoué, humilié.
C'est passer du *Christ aux anges*, et sa
référence à saint Paul, au *Jésus insulté
par les soldats*.
Le critique Paul de Saint-Victor en 1864
stigmatisa le premier : « Christ à la cave,
soutenu par deux ramoneurs ailés. »
Quant à l'autre tableau, le crime était
pire. Le manque de décorum y semblait
plus criant, alors que le peintre s'était
efforcé de traduire historiquement et
concrètement la Passion du Rédempteur.

Édouard Manet
**The Dead Christ and the Angels
(The Dead Christ with Angels)**
1864, oil on canvas, 179.4 × 149.9 cm
New York, The Metropolitan Museum of Art

Édouard Manet
Jesus Mocked by the Soldiers
1864, oil on canvas, 195 × 150 cm
Chicago, The Art Institute of Chicago

Manet's firm desire to breathe new life
into religious painting has always been
misunderstood. Yet it was crucial in the mid-
1860s, and does not boil down to the militant
hispanicism in which it became shrouded.
It is true that El Greco and Zurbarán,
Velázquez, and Goya were for him an antidote
to the religiosity of the Second Empire, a
victim of the routine and archaism of those
working for the government or the Church.
Catholic by culture, although not practicing,
the painter does not treat the figure of Christ
lightly, as just a way of making sales and
commissions. In addition to the symbol of
human suffering, the metaphysical inquiry,
there is the romantic metaphor of the
creator scorned and humiliated. It passed
from *The Dead Christ with Angels*, and its
reference to St. Paul, to the *Jesus Mocked by
the Soldiers*. In 1864 the critic Paul de Saint-
Victor condemned the former: "Christ in the
cellar, supported by two winged chimney
sweeps." As for the other painting, the crime
was even worse. Its lack of decorum seemed
even more glaring, although the painter
had attempted to convey the Redeemer's
Passion in historical and concrete terms.

Édouard Manet
L'Homme mort (Le Torero mort)
1864-1865, huile sur toile, 75,9 × 153,3 cm
Washington, D.C., National Gallery of Art

Le Manet préféré d'Henri Matisse, où il
voyait naïvement l'expression magistrale
de sa simplicité et de son style direct,
résulte d'un processus complexe, où il
entre autant de dépit que de radicalité.
Au départ, le tableau formait la partie
inférieure de l'*Épisode d'une course de
taureaux*, qui avait été étrillé au Salon de
1864, la critique dénonçant à cœur joie
les fautes de perspective, la touche trop
abrégée, voire la rigidité du personnage
principal. Le critique Edmond About
parla d'« un torero de bois tué par
un rat cornu » et les caricaturistes
se déchaînèrent sur ces « joujoux
espagnols ». Il y eut bien quelques voix
dissidentes parmi les ténors de la presse
impériale. Gautier ne resta pas insensible
à la puissance de cette figure couchée,
entre vie et mort, d'une émotion et d'une
plasticité proprement renversantes, et
même digne d'être isolée ! En somme,
Manet suivit le conseil, découpa son
tableau et le renomma avant de l'exposer
en 1867, au milieu des cinquante numéros
de sa rétrospective. Aucune théâtralité
ici. Le drame à nu. Seul le nouveau titre
en élargissait l'universalité douloureuse.

Édouard Manet,
The Dead Man (The Dead Torero)
1864–65, oil on canvas, 75.9 × 153.3 cm
Washington, D.C., National Gallery of Art

This was Henri Matisse's favorite Manet,
in which he naively saw the masterly
expression of his simplicity and his direct
style, the result of a complex process
involving a radical step, but one taken in
a fit of pique. The painting was originally
the lower section of *Incident in a Bullfight*,
which had been slated at the Salon of 1864,
and in which the critics laid with relish
into the mistakes in perspective, the over
terse touch, and even the stiffness of the
main character. The critic Edmond About
talked about "a wooden toreador killed by
a horned rat," and the caricaturists had a
field day with these "Spanish toys." There
were of course a few dissident voices
raised among the leading journalists of the
imperial press. Gautier was not unmoved by
the power of this recumbent figure barely
clinging onto life, with enough feeling and
visual punch literally to knock you over, and
even worthy of being shown separately!
In a word, Manet listened to the advice,
cut up his painting and renamed it before
displaying it in 1867 as one of the fifty pieces
in his retrospective exhibition. There is no
theatricality here: tragedy laid bare. The new
title alone extended its painful universality.

« Ayant eu à se plaindre de son marchand de couleurs,
M. Manet prend le parti de ne plus se servir que de son
encrier. »
Caricature de Cham, *Le Charivari*, 22 mai 1864

"Being unhappy with his color merchant , M. Manet has
decided to use only his inkwell."
Caricature by Cham, *Le Charivari*, May 22, 1864

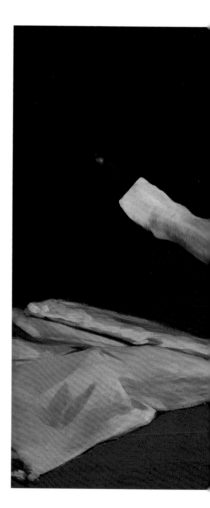

L'Homme mort

Le Fifre

Édouard Manet
Le Fifer
6, oil on canvas, 161 × 97 cm
is, Musée d'Orsay

er the resounding fiasco of *Olympia* and
Jesus Mocked, Manet went to Madrid.
ounds like he felt the need for an
igorating head-to-head with the forty
ázquezes in the Prado. Of the court
rtraits by the old master, one in particular
ught his attention, the portrait of *Pablo
Valladolid*: "The background disappears,
ere's nothing but air surrounding the
low, who is all in black and appears
ve." *The Fifer* was Manet's answer
the challenge from Velázquez. The
inting, which shows an adolescent in
iform and is again as frail as the *Boy
th a Sword*, also takes the contemporary
uation into account. Coming out of the
andal provoked by his paintings at the
lon of 1865, Manet was looking to calm
ngs down. This is not how it worked
t, however, as his submissions were all
ected. A young novelist, a newcomer to
urnalism, then decided to stand up for
e humiliated painter. In *L'Événement*, a
guely liberal paper, Émile Zola only just
d time to attack the jury, the pale Salon
1866 and "Cabanel's rice powder" before
ing silenced by his editors: "Our fathers
ughed at Courbet, and here we are in
stasy about him; we laugh at Manet, but
r sons will be ecstatic about him."

Édouard Manet
Le Fifre
1866, huile sur toile, 161 × 97 cm
Paris, musée d'Orsay

Après le fiasco retentissant d'*Olympia*
et du *Jésus insulté*, Manet se rendit à
Madrid. A-t-il ressenti la nécessité
d'une confrontation roborative avec les
quarante Vélasquez du Prado ? Sans
doute. Un des portraits de cour du vieux
maître l'a retenu entre tous, celui de
Pablo de Valladolid : « Le fond disparaît ;
c'est de l'air qui entoure le bonhomme,
tout habillé de noir et vivant. » *Le Fifre* fut
la réponse de Manet au défi de Vélasquez.
Le tableau, qui montre un adolescent
sous l'uniforme et retrouve la fragilité de
L'Enfant à l'épée, tient compte également
de la situation du moment. Au sortir du
scandale provoqué par ses tableaux du
Salon de 1865, Manet cherche à calmer
le jeu. Peine perdue, ses envois sont
tous deux rejetés. Un jeune romancier,
néophyte en journalisme, décide alors
de prendre fait et cause pour le peintre
humilié. Dans *L'Événement*, feuille
vaguement libérale, Émile Zola eut
à peine le temps d'éreinter le jury, le
Salon blafard de 1866 et « la poudre
de riz de Cabanel », avant d'être réduit
au silence par sa rédaction : « Nos
pères ont ri de Courbet, et voilà que
nous nous extasions devant lui ; nous
rions de Manet, et ce seront nos fils qui
s'extasieront en face de ses toiles. »

Édouard Manet
Le Balcon
ntre 1868 et 1869, huile sur toile, 170 × 124,5 cm
aris, musée d'Orsay

Manet semble avoir rencontré Berthe
Morisot en 1868. De neuf ans sa cadette,
'est une amie de Fantin-Latour et de
Degas. Manet tombe immédiatement
ous le charme des sœurs Morisot.
D'ailleurs, elles sont peintres elles-
mêmes et exposent au Salon. Le Balcon
ait entrer Berthe, la plus talentueuse,
a plus énigmatique, la plus dépressive,
dans l'univers singulier de Manet, sans
qu'elle ait eu à forcer son rôle. Accoudée
à la rambarde métallique d'un vert très
grinçant, la jeune femme laisse errer son
regard oblique et noir. Une vraie « femme
fatale », pour citer l'intéressée. Berthe
s'en étonna à peine lorsqu'elle découvrit
le tableau au Salon de 1869 : « Je suis
plus étrange que laide. »
Et à propos de l'art si polémique de son
nouvel ami : « Ses peintures produisent
comme toujours l'impression d'un fruit
sauvage ou même un peu vert. Elles
sont loin de me déplaire. » Le Balcon,
dans son espace suspendu et son
étrange latence, la montre entourée du
paysagiste Antoine Guillemet et de la
violoniste Fanny Claus. Manet, musicien
du silence, Goya parisien, liquidait les
oliesses de conversation galante et
les faux-semblants du jeu social.

Édouard Manet
The Balcony

Between 1868 and 1869, oil on canvas, 170 × 124.5 cm
Paris, Musée d'Orsay

Manet seems to have met Berthe Morisot
in 1868. She was nine years his junior, and
a friend of Fantin-Latour and Degas. Manet
immediately came under the spell of the
Morisot sisters, who were themselves
painters exhibiting at the Salon. *The
Balcony* introduces Berthe, the more gifted,
mysterious and depressive of the two into
Manet's singular world, for which she was
typecast. Leaning on the very jarring green
metal railing, the young woman's black-
eyed gaze wanders off at an angle. A real
"femme fatale," as she described herself,
Berthe showed little surprise on seeing the
painting at the Salon of 1869: "I am more
strange than ugly." And on the subject of
her new friend's so controversial art: "His
paintings, as they always do, produce the
impression of a wild or even a somewhat
unripe fruit. I do not in the least dislike
them." In its suspended space and strange
latency, *The Balcony* depicts her with the
landscape artist Antoine Guillemet and the
violinist Fanny Claus. Manet, the musician
of silence, a Parisian Goya, was doing away
with the graces of gallant conversation
and the sham of social interplay.

« M. Manet – Fermez donc cette fenêtre ! Ce
que j'en dis, Monsieur Manet, est de votre
intérêt. »
Caricature de Cham, *Le Monde illustré*,
5 juin 1869

"M. Manet close this window well! What I say,
Monsieur Manet, is in your own interest."
Caricature by Cham, *Le Monde illustré*,
June 5, 1869

Le Balcon

ouard Manet
rtrait of Émile Zola
8, oil on canvas, 146 × 114 cm
is, Musée d'Orsay

a token of gratitude and connivance,
net sketched the portrait of Zola a few
onths after the retrospective of 1867 that
ally sealed the two men's friendship. As
e sitter emphasized in one of his letters,
e painting was intended for the Salon.
net turned it into something of a public
anifesto, in which the painter's aims and
ose of the controversial novelist converged.
eir shared strategy. On seeing the portrait
1868, Gautier wrote ironically of "the
thor of *Thérèse Raquin*, an admirable
alist study of remorse, and of a very
ecious apology for M. Manet's doctrines
d talent." However, he understood the
inting, its overall message, the deliberate
ferences to *Olympia*, to Velázquez and to
panese prints, "the phenomenal triplicity
realism." More caustically in *Le Charivari*,
uis Leroy explained how Zola, "the
ostle of the *tache* [spot, patch] had himself
come a *tache*." So his contemporaries
ere not all willing to accept Manet's way
blurring the usual boundary between
imate and inanimate, his determined
alism and its extreme conciseness.

Édouard Manet
Portrait d'Émile Zola
1868, huile sur toile, 146 × 114 cm
Paris, musée d'Orsay

En signe de gratitude et de connivence,
Manet ébaucha le portrait de Zola
quelques mois après la rétrospective de
1867, qui avait rapproché définitivement
les deux hommes. Comme le modèle
l'a souligné dans une de ses lettres, le
tableau était destiné au Salon. Manet
en faisait une sorte de manifeste public
où convergeaient les visées du peintre
et celles du romancier controversé.
Stratégie commune. Apercevant le
portrait en 1868, Gautier ironisa sur
« l'auteur de *Thérèse Raquin*, admirable
étude réaliste du remords, et d'une
apologie très-spécieuse des doctrines
et du talent de M. Manet ». Toutefois,
il comprit le tableau et son message
d'ensemble, les références délibérées
à *Olympia*, à Vélasquez et à l'estampe
japonaise, « triplicité phénoménale
du réalisme ». Dans *Le Charivari*, de
façon plus caustique, Louis Leroy
expliquait comment Zola, l'apôtre de
la tache, « était lui-même devenu une
tache ». Les contemporains n'étaient
donc pas tous prêts à accepter la
manière qu'avait Manet de laisser un
peu flotter la séparation usuelle entre
le vivant et l'inanimé, son réalisme
déterminé et sa concision extrême.

Édouard Manet
Portrait of Stéphane Mallarmé
1876, oil on canvas, 27.5 × 36 cm
Paris, Musée d'Orsay

Édouard Manet
Lady with Fans (Portrait of Nina de Callias)
1873–74, oil on canvas, 113 ×166 cm
Paris, Musée d'Orsay

The Franco-Prussian War, the siege of
Paris and the Commune were all life-
changing events for Manet. In the immediate
aftermath, following a humiliating defeat,
the revival of the Republic in September
1870 made the future look a little less bleak.
There was no question of fleeing the capital
while the Germans were threatening and
soon bombarding it. His ulterior motive in
joining the National Guard was to defend
the chances of lasting political change.
The abject surrender left him feeling
bitter, he left Paris from late January 1871
until June. An outsider to the Commune,
Manet denounced the methods of its
suppression in provocative lithographs.
Around this time he was a regular visitor
to the leftwing salon of Nina de Callias,
where he made the acquaintance of the poet
Mallarmé, whose politics were as liberal
as his art was elitist. The two men became
inseparable. Two illustrated books and
two critical essays sealed their friendship,
and the portrait of 1876 confirmed it. In
it, the cigar smoke, a stock metaphor for
Parnassian poetry, conveys the random
and whimsical inspiration in which the poet
dreamily contemplates his fantasies.

Édouard Manet
Portrait de Stéphane Mallarmé
1876, huile sur toile, 27,5 × 36 cm
Paris, musée d'Orsay

Édouard Manet
**La Dame aux éventails
(Portrait de Nina de Callias)**
1873-1874, huile sur toile, 113 × 166 cm
Paris, musée d'Orsay

La guerre franco-prussienne, le siège
et la Commune, autant d'événements de
longue portée sur la vie de Manet. Dans
l'immédiat, après une défaite humiliante,
la renaissance de la République en
septembre 1870 rend l'avenir un peu
moins noir. Pas question de fuir la capitale
quand les Allemands la menacent et
bientôt la pilonnent. Rejoignant la Garde
nationale, il entend aussi défendre les
chances d'un changement politique
durable. La déplorable capitulation le
laisse amer, il quitte Paris entre fin
janvier et juin 1871. Étranger à la
Commune, Manet dénonce alors les
méthodes de sa répression dans des
lithographies assassines. C'est l'époque
où il fréquente le salon plutôt rouge de
Nina de Callias et y fait la connaissance
du poète Mallarmé, aussi libéral en
politique qu'élitiste en art. Les deux
hommes ne se quitteront plus. Deux
livres illustrés et deux essais critiques
scellent leur amitié, que confirme le
portrait de 1876. La fumée du cigare,
métaphore courante de la poésie
parnassienne, y traduit l'inspiration
aléatoire et capricieuse où l'écrivain
scrute rêveusement ses chimères.

Stéphane
Mallarmé

Édouard Manet
Faure in the Role of Hamlet

1877, oil on canvas, 194 × 131.5 cm
Essen, Folkwang Museum

As worthy heirs to Baudelairian romanticism, Manet and Mallarmé shared the same fascination for the character of Hamlet. The painter often went back to Shakespeare through the people who had carried the torch throughout the 19th century. First, there was the portrait of the actor Rouvière, rejected by the Salon along with *The Fifer* in 1866. Ten years later, he sketched a portrait of Faure playing Hamlet; the baritone had triumphed in 1868 singing the title role in the opera by Ambroise Thomas. The scene on the castle ramparts (Act I, Scene 2) had everything a painter still keenly seeking recognition could possibly want. After sighting his father's ghost and realizing that Claudius had murdered him, Hamlet draws his sword and cries out vengefully, "Remember thee, yea!" Meanwhile, Manet had begun to take an interest in the art collector Faure late in 1873. The critics talked of "the work of a madman" and a hysterical "tadpole," when they should have been focusing on the assumed fantastical quality and the scintillating palette.

« M. Manet. Hamlet, devenu fou, se fait peindre par M. Manet. »
Caricature de Cham, « Le Salon pour rire »,
Le Charivari, 1877

"M. Manet. Hamlet, gone mad, had himself painted by M. Manet."
Caricature by Cham, "Le Salon pour rire",
Le Charivari, 1877

Édouard Manet
Faure dans le rôle d'Hamlet

1877, huile sur toile, 194 × 131,5 cm
Essen, Folkwang Museum

En bons héritiers du romantisme baudelairien, Manet et Mallarmé partageaient une même fascination pour le personnage d'Hamlet. Le peintre est souvent revenu à Shakespeare par le biais de ceux qui en avaient fait vivre la flamme tout au long du XIXe siècle. Il y eut d'abord le portrait de l'acteur Rouvière, mis à la porte du Salon avec *Le Fifre* en 1866. Dix ans plus tard, il ébauchait son portrait du chanteur Faure en Hamlet. Le baryton avait triomphé en 1868 dans le rôle-titre de l'opéra d'Ambroise Thomas. La scène de l'esplanade (acte I, 2e tableau) avait de quoi frapper un peintre avide encore de reconnaissance. Après avoir aperçu le spectre de son père et compris le crime de Claudius, Hamlet tirait son épée et jetait son cri de vengeance : « Je me souviendrai ! » De son côté, Faure, collectionneur de peintures, avait commencé à s'intéresser à Manet fin 1873. Le fruit de leur collaboration difficile fut la risée du Salon de 1877. On parla d'« une œuvre d'halluciné » et d'un « têtard » hystérique quand il eût fallu en souligner le fantastique assumé et la palette scintillante.

Manet, 1879

Chez le père Lathuille

Édouard Manet
Chez le père Lathuille, en plein air
1879, oil on canvas, 92 × 112 cm
Tournai, Musée des Beaux-Arts

Although by no means producing a unanimous response in 1880, the painting electrified Joris-Karl Huysmans for one: "The modern I was talking about, this is it!" The young naturalist novelist, the official emulator of Zola, had no trouble guessing how much the painter had been seeking to come closer to his literary movement. No other picture of his lends such movement to the figures and the feeling of a staged scene at last capable of getting through to the general public and to the hard-of-hearing critics. Théodore Duret actually opposed it to the canvases in which he said Manet delighted in showing "people in incomprehensible poses." And Paul Mantz offers a neat description of this sort of "drama" of Les Batignolles, where Père Lathuille's restaurant was located: "A gentleman and a lady are finishing their lunch. . . . The painter's intention seems to have been to express the moment when the meal is nearly over and the conversation becomes Cytherean." As for the ambrosia in this scène galante à la Watteau, it sparkles like champagne. Painted in shimmering colors and so carefully thought out, this composition conveys the fleeting moment as something tremulous. The title confirmed the quest for plenty of natural daylight, Manet's way of holding the field in which the Impressionists were working.

Édouard Manet
Chez le père Lathuille, en plein air
1879, huile sur toile, 92 × 112 cm
Tournai, musée des Beaux-Arts

Loin de faire l'unanimité en 1880, le tableau aura au moins électrisé Joris-Karl Huysmans : « Le moderne dont j'ai parlé, le voilà ! » Le jeune romancier naturaliste, émule officiel de Zola, n'eut pas de mal à deviner combien le peintre avait cherché à se rapprocher de sa mouvance littéraire. Aucun autre de ses tableaux n'imprime un tel mouvement aux figures et le sentiment d'une mise en scène capable de parler enfin au grand public et aux critiques durs d'oreille. Théodore Duret l'opposait, du reste, aux toiles où Manet se serait plu à montrer « des gens dans des attitudes incompréhensibles ». Et Paul Mantz a bien saisi cette façon de « drame » des Batignolles, où se situait le restaurant du Père Lathuile : « Un monsieur et une dame achèvent de déjeuner [...]. L'intention du peintre paraît avoir été d'exprimer le moment où, le repas tirant à sa fin, la conversation devient cythéréenne. » Quant à l'ambroisie de cette scène galante à la Watteau, elle pétille comme du champagne. Peinte d'une couleur très vive, la composition si méditée traduit l'instant, le furtif et le jeu des regards de façon fremissante. Le titre confirmait la quête de lumière naturelle à haute dose. Manière de rester maître du terrain où s'activaient les impressionnistes.

Caricature de Nidrac, *Salon comique*, 1880
Caricature by Nidrac, *Salon comique*, 1880

L'Asper

Édouard Manet
L'Asperge

1880, huile sur toile, 16 × 21 cm
Paris, musée d'Orsay

On y a vu, sans trop de surprise, la quintessence de l'art de Manet, toujours en équilibre entre le signe et son effacement. La marque du peintre, un simple paraphe désinvolte placé en écho à l'asperge solitaire, confirmerait ce brio en apesanteur. À propos du tableautin, le mot de Georges Bataille sonne toujours juste : « Ce n'est pas une nature morte comme les autres, morte, elle est en même temps enjouée. » Manet venait de vendre à Charles Ephrussi, grand amateur de peinture moderne chez qui Marcel Proust la vit, la *Botte d'asperges* conservée aujourd'hui au musée de Cologne. Elle lui avait été payée 800 francs, somme supérieure aux attentes du peintre. Aussi ce dernier adressa-t-il en retour au collectionneur une asperge supplémentaire en l'accompagnant d'une note aussi laconique : « Il en manquait une à votre botte. » L'œuvre, pour « gratuite » qu'elle fût, n'en était pas moins un Manet, depuis les marbrures colorées du motif, le fond clair très lumineux et la nette asymétrie de la composition. Le dépouillement de Chardin dans l'humour des Japonais. La vie, en somme. Bataille avait raison.

Édouard Manet
Asparagus

1880, oil on canvas, 16 × 21 cm
Paris, Musée d'Orsay

People have seen, with no great surprise, the quintessential Manet here, always striking a fine balance between the sign and the masking of that sign. The painter's mark, just a scribbled initial echoing the solitary spear of asparagus, would confirm this weightless brilliance. On the subject of this small painting, Georges Bataille's comment still rings true: "It is not a still life like the others; although still, it is at the same time, lively." Manet had just sold the *Bunch of Asparagus*, currently kept at the Cologne museum, to Charles Ephrussi, a great collector of modern art, in whose possession it was seen by Marcel Proust. The sum paid for it was 800 francs, more than the painter had expected, hence the extra spear sent to the collector, accompanied by an equally laconic note: "You got one short of a bundle." The work may have been a "free" gift, but it was still every inch a Manet, from the colored mottled motif, the very bright background in light tones, and the definite asymmetry of the composition— the restraint of Chardin and the humor of the Japanese. In a word, life. Bataille was right.

Édouard Manet
Émilie Ambre in the Role of Carmen
1880, oil on canvas, 92.4 × 73.5 cm
Philadelphia, Philadelphia Museum of Art

Édouard Manet
The Execution of the Emperor Maximilian
1867, oil on canvas, 196 × 260 cm
Boston, Museum of Fine Arts

During the summer of 1880, which he spent receiving treatment at Bellevue, Manet quickly painted this splendid portrait that gives no hint as to the melancholy he was feeling in his rather secluded state, housebound by his medical condition. On the contrary, this was the Spain of *Lola de Valence* firing its last salvoes. On September 27, Manet reported the work in progress to his pupil, Éva Gonzalès: "I'm doing a portrait of Mlle Émilie Ambre, a land-owning *prima donna* neighbor; I go and work on it every day because she's leaving for America on October 8." Like the Faure picture, the painting combines the requirements of the portrait and the imagination of the stage, a fiction dear to the painter. This false realist probably used a photograph to complete the modeling sessions and to work out the *ad hoc* properties. Born in Oran (Algeria), the singer had based her reputation most notably on the role of Carmen, which she had already sung in the States the previous year. Through her, *The Execution of Maximilian* (Mannheim) was exhibited in New York City and Boston. After being censored during the Second Empire, the painting had become a crowd-pulling curiosity.

Édouard Manet
Émilie Ambre dans le rôle de Carmen
1880, huile sur toile, 92,4 × 73,5 cm
Philadelphie, Philadelphia Museum of Art

Édouard Manet
L'Exécution de l'empereur Maximilien
1867, huile sur toile, 196 × 260 cm
Boston, Museum of Fine Arts

Durant l'été 1880, qu'il passa à Bellevue pour se soigner, Manet brossa rapidement ce splendide portrait, qui ne respire en rien la mélancolie qu'engendraient sa semi-réclusion et les servitudes médicales. Au contraire, c'est l'Espagne de *Lola de Valence* qui jette ses derniers feux.
Le 27 septembre, Manet signalait l'œuvre en cours à son élève Éva Gonzalès : « Je fais en ce moment le portrait de Mlle Émilie Ambre, une châtelaine *prima donna* du voisinage ; je vais tous les jours travailler, elle devant partir en Amérique le 8 octobre. » À l'instar de celui de Faure, le tableau combine les prescriptions du portrait et l'imaginaire de la scène, fiction chère au peintre. Ce faux réaliste a probablement utilisé une photographie pour compléter les séances de pose et préciser les accessoires *ad hoc*. Née à Oran, la chanteuse avait notamment bâti sa réputation sur le rôle de Carmen, qu'elle avait déjà exporté outre-Atlantique l'année précédente. Lors de cette tournée, *L'Exécution de Maximilien* (Mannheim) fut montré par ses soins à New York et Boston. Le tableau, censuré sous le Second Empire, était devenu une curiosité à grand spectacle.

uard Manet
e Horsewoman (Summer)
82, oil on canvas, 73 × 52 cm
rid, Museo Thyssen-Bornemisza

ong Manet's very last paintings, there
a number of figures of very attractive
sewomen, with stovepipe hats set
nly on their chignon, and wearing close-
ing black. The most beautiful of these
sewomen may have been part of a
of four compositions dedicated to the
sons, a very common theme in those
vs. These would include two princely
files: the portraits of Méry Laurent (Fall)
d of Jeanne Demarsy (Spring). The Madrid
nting, possibly an allegory for Summer,
resented differently. The young woman
lmost face on against the blue sky and a
t of greenery, both very colorful. A *plein*
scene in a sense, it also combines the
est signs of society imagery, in the vein of
sy snobbishness and Parisian elegance.
s a painterly illusion, as we know, for
cording to Léon, Manet had "the girl from
e bookshop in the Rue de Moscou" sit
him. With that dreamy, rather distant
k, and that bright red pout of hers, she is
awn inescapably towards the implacable
auty of Manet's very last creatures.

Édouard Manet
L'Amazone [L'Été]
Vers 1882, huile sur toile, 73 × 52 cm
Madrid, Museo Thyssen-Bornemisza

Parmi les tous derniers tableaux
de Manet, il est plusieurs figures
d'amazones très séduisantes, chapeaux
haut de forme bien calés sur leur
chignon, et moulées dans le noir. La plus
belle de ces cavalières appartenait peut-
être à une série de quatre compositions
dédiée aux saisons, thème très répandu
à cette date. En relèveraient le portrait
de Méry Laurent (*L'Automne*) et celui de
Jeanne Demarsy (*Le Printemps*), deux
profils souverains. Le tableau de Madrid,
allégorie possible de l'Été, se présente
différemment. La jeune femme, presque
de face, se détache sur le bleu du ciel et
un coin de verdure, l'un et l'autre très
poussés de couleur. Scène de plein air
en un sens, elle combine aussi les signes
les plus sûrs de l'imagerie mondaine,
conforme au snobisme hippique et à
l'élégance parisienne. Illusion de peintre,
on le sait, puisque Manet fit poser, selon
Léon, « la fille de la librairie de la rue
de Moscou ». Le regard rêveur, un peu
distant, et la moue, très rouge, la tirent
inéluctablement vers la beauté implacable
des ultimes créatures de Manet.

43

Édouard Manet
The Escape of Rochefort
1880–81, oil on canvas, 146 × 116 cm
Zurich, Kunsthaus

Édouard Manet
The Escape of Rochefort
1880–81, oil on canvas, 80 × 75 cm
Paris, Musée d'Orsay

Politics, a constant concern of this
Republican artist, was central to his last
works, produced in the period 1879–83 in
the wake of victory for the radicals and the
election of Jules Grévy. Unlike his former
rival Legros, Manet had been unable to paint
Gambetta, so instead, with no prompting,
he undertook two portraits of Clemenceau
as a fierce and powerful orator. The portrait
of Antonin Proust, his longtime friend
and a future minister under Gambetta,
received praise from some quarters at the
Salon of 1880. But Manet was still on the
lookout for material to turn into a history
painting. Once the amnesty was decreed
for the Communards, Henri Rochefort
having returned to France, he launched
into one such composition, depicting the
manner of Rochefort's escape from prison
in Nouméa—no easy matter. Manet first
exhibited the portrait of the former anti-
Bonapartist journalist in conspiratorial
guise. For this painting he was awarded a
second class medal in 1881. Meanwhile,
The Escape of Rochefort, which combined
the romance of the high seas and the
desire for national reconciliation, was left
unfinished. The painter's death deprived
him of causing one last stir at the Salon
with "a sensational painting" (Monet).

Édouard Manet
L'Évasion de Rochefort
1880-1881, huile sur toile, 146 × 116 cm
Zurich, Kunsthaus

Édouard Manet
L'Évasion de Rochefort
1880-1881, huile sur toile, 80 × 75 cm
Paris, musée d'Orsay

Préoccupation constante de cet artiste
républicain, la politique est au centre de
la dernière production, celle des années
1879-1883, au lendemain de la victoire
des radicaux et de l'élection de Jules
Grévy. Faute d'avoir pu peindre Gambetta,
contrairement à son ancien rival Legros,
Manet entreprit de son proche chef deux
portraits de Clemenceau en farouche
tribun. Celui d'Antonin Proust, son ami de
toujours et futur ministre de Gambetta,
reçut quelques éloges au Salon de 1880.
Mais Manet restait à l'affût d'un sujet
capable de se muer en tableau d'histoire.
Dès que l'amnistie des communards
fut décrétée, Henri Rochefort étant
rentré en France, il se lança dans une
telle composition en évoquant la façon
dont il avait échappé à sa prison de
Nouméa. Non sans mal. Manet exposa
d'abord le portrait de l'ancien journaliste
antibonapartiste, façon conspirateur.
Le tableau lui valut une médaille de
deuxième classe en 1881. Quant à
L'Évasion de Rochefort, qui combinait
le romanesque de l'océan et le vœu
d'une réconciliation nationale, il resta
inachevé. La mort du peintre l'aura privé
de secouer une dernière fois le Salon
avec « un tableau à sensation » (Monet).

Repères chronologiques
Key Dates

Félix Nadar, *Portrait d'Édouard Manet*
Paris, Bibliothèque nationale de France

Félix Nadar, *Portrait of Édouard Manet*
Paris, Bibliothèque nationale de France

1832

Le 23 janvier, Édouard Manet naît à Paris dans une famille de la bourgeoisie aisée. Son père, Auguste, est un haut fonctionnaire du ministère de la Justice ; sa mère, Eugénie-Désirée, fortunée, filleule du roi de Suède (Bernadotte), est fille de diplomate. Deux frères verront le jour, Eugène (1833) et Gustave (1835).

On January 23, Édouard Manet is born in Paris into a wealthy bourgeois family. His father, Auguste, is a top civil servant at the Ministry of Justice; his mother, Eugénie-Désirée, has her own fortune as the daughter of a diplomat and goddaughter of the king of Sweden (Bernadotte). He has two younger brothers, Eugène (b.1833) and Gustave (b.1835).

1844-1848

Après des études à l'institut Poiloup, il entre au collège Rollin (actuel lycée Jacques-Decour), où il rencontre Antonin Proust (1832-1905). Son oncle maternel, Édouard Fournier, semble lui avoir fait découvrir alors le musée du Louvre.

After studying at the Institut Poiloup, he attends the Collège Rollin (now the Lycée Jacques-Decour), where he meets Antonin Proust (1832–1905). Manet seems to have discovered the Louvre around this time through his maternal uncle, Édouard Fournier.

1848

22-25 février : journées révolutionnaires. Proclamation de la IIe République.

February 22–25: days of revolution. Proclamation of the Second Republic.

1848-1849

Manet envisage d'entrer dans la marine. En décembre 1848, peu avant l'élection de Louis-Napoléon Bonaparte, premier président de la République française, il s'embarque sur un bateau école qui fait route vers Rio de Janeiro. Durant la traversée, il exécute dessins et caricatures. Au retour, nouvel échec à Navale. Ses parents l'autorisent à engager une carrière artistique.

Manet considers joining the navy. In December 1848, just before Louis-Napoléon Bonaparte's election as the first president of the French Republic, he embarks on a training ship sailing for Rio de Janeiro. During the crossing, he makes drawings and cartoons. On his return, he again fails to gain a place at Naval College. His parents give him permission to become an artist.

1850

Manet a rejoint l'atelier de Thomas Couture (1815-1879). Il y restera près de six ans. Suzanne Leenhoff (1830-1906), professeur de piano de ses frères, devient sa maîtresse

Manet joins the studio of Thomas Couture (1815–1879), which he attends for almost six years. Suzanne Leenhoff (1830–1906), his brothers' piano teacher, becomes his mistre

1851

2 décembre : coup d'État de Louis-Napoléon Bonaparte. Manet semble avoir déjà manifesté son opposition au « fossoyeur de la République ».

December 2: coup d'état by Louis-Napoléon Bonaparte. Manet seems already to have made known his opposition to the "grave-digger of the Republic."

1852

29 janvier : Suzanne Leenhoff donne naissan à un fils naturel, Léon Koëlla-Leenhoff (1852-1927). Est-il le fils ou le demi-frère du peintre ? Le débat reste ouvert.
2 décembre : proclamation du Second Empir Louis-Napoléon Bonaparte devient Napoléo

January 29: Suzanne Leenhoff gives birth to an illegitimate son, Léon Koëlla-Leenhoff (1852–1927). Is he the painter's son or his half-brother? The jury is still out.
December 2: proclamation of the Second Empire Louis-Napoléon Bonaparte becomes Napoléon III.

1852-1853

Manet voyage en Hollande, en Allemagne, en Autriche et en Italie.

Manet visits Holland, Germany, Austria, and Italy.

1855

En marge de l'Exposition universelle, Gustav Courbet érige son pavillon du Réalisme. Avec Proust, Manet aurait rendu visite à Eugène Delacroix.

On the fringe of the Universal Exhibition, Gustave Courbet erects his Pavilion of Realism. With Proust, Manet is thought to have paid a visit to Eugène Delacroix.

1857-1859

Nouveau voyage en Italie. Copies d'après les maîtres (Fra Angelico, Titien, Andrea del Sarto, Lippi...). Manet fait la connaissance d'Henri Fantin-Latour (1836-1904) et d'Edgar Degas (1834-1917).

Second trip to Italy. Copies after the masters (Fra Angelico, Titian, Andrea del Sarto, Lippi . . .). Manet makes the acquaintance of Henri Fantin-Latour (1836–1904) and Edgar Degas (1834–1917).

1

: montre au Salon le *Portrait de M. et
e M[anet]* **(ill. p. 6)** et *Le Chanteur espagnol*,
ui vaut une mention « honorable ».
t : commence à exposer galerie
tinet, 26, boulevard des Italiens.

: exhibits the *Portrait of M. and Mme M[anet]*
p. 6) at the Salon and *The Spanish Singer*,
ch earns him an "honorable" mention.
ust: begins to exhibit at the Galerie
tinet at 26, Boulevard des Italiens.

2

mai : fait partie des membres
dateurs de la Société des aquafortistes.
miers textes de Charles Baudelaire
l mentionne son ami Manet.
t de son père Auguste, le 25 septembre.
la connaissance de Victorine
urent, qui devient son modèle.

e May: is one of the founder-members
he Société des Aquafortistes, which
s to bring about a revival of the etching.
st essays by Charles Baudelaire in
ch he mentions his friend Manet.
th of his father Auguste, on September 25.
kes the acquaintance of Victorine
urent, who becomes his model.

3

s : expose quatorze tableaux à la galerie
rtinet. *Lola de Valence* **(ill. p. 10)**, œuvre
ompagnée d'un quatrain de Baudelaire.
: ouverture du Salon des Refusés.
Déjeuner sur l'herbe **(ill. p. 15)**, à de rares
eptions près, y soulève l'indignation
la critique. Peint *Olympia* **(ill. p. 16)**.
t : Manet assiste avec Baudelaire
enterrement de Delacroix.
obre : Manet épouse Suzanne Leenhoff.

rch: exhibits fourteen paintings at the
erie Martinet. *Lola de Valence* (ill. p. 10), a
rk accompanied by a quatrain by Baudelaire.
y: opening of the Salon des Refusés.
Déjeuner sur l'herbe (ill. p. 15), with very
y exceptions, arouses indignation among
critics. Paints *Olympia* (ill. p. 16).
gust: Manet attends Delacroix's
eral with Baudelaire.
tober: Manet marries Suzanne Leenhoff.

1864

Mai : Fantin-Latour expose au Salon l'*Hommage
à Delacroix*, au centre duquel Manet est
représenté. Lui-même expose *Le Christ mort
et les Anges* **(ill. p. 22)** et *Épisode d'une course
de taureaux*, dont la partie inférieure
deviendra *L'Homme mort (Le Torero mort)*
(ill. p. 25) après découpage. Il peint
Le Combat du « Kearsarge » et de l'« Alabama »
(ill. p. 18).

May: Fantin-Latour exhibits at the Salon the
Homage to Delacroix, in which Manet is the
central figure. Manet himself exhibits *The Dead
Christ and the Angels* (ill. p. 22) and *Incident
in a Bullfight*, the lower section of which
will become *The Dead Man (The Dead Torero)*
(ill. p. 25) after cropping. Paints *The Combat
of the* Kearsarge *and the* Alabama (ill. p. 18).

1865

Au Salon, Manet expose *Olympia* et *Jésus
insulté par les soldats* **(ill. p. 23)**, qui font
scandale.
Séjour à Madrid, durant l'été. Choc devant
les Vélasquez du Prado.

At the Salon, Manet exhibits *Olympia* and *Jesus
Mocked by the Soldiers* (ill. p. 23), which cause a
scandal.
Stays in Madrid over the summer. Deeply affected
on seeing the Velasquezes in the Prado.

1866

Avril : *Le Fifre* **(ill. p. 26)** et *L'Acteur tragique* sont
refusés au Salon. Émile Zola (1840-1902) prend
la défense du peintre avec une rare violence.
Fréquente le café Guerbois, lieu d'échanges
littéraires et artistiques.
Rencontre Paul Cézanne (1839-1906)
et Claude Monet (1840-1926).

April: *The Fifer* (ill. p. 26) and *The Tragic
Actor* are rejected by the Salon. Émile
Zola (1840–1902) comes to the painter's
defense with uncommon violence.
Is a regular at the Café Guerbois, for discussing
literature and the arts. Meets Paul Cézanne
(1839–1906) and Claude Monet (1840–1926).

1867

En vue de tirer profit de l'Exposition universelle,
Manet fait construire un pavillon, à proximité du
pont de l'Alma. Stratégie collective :
Fantin-Latour expose son portrait de Manet
(ill. p. 4) et Zola publie une brochure décapante.
Juin : mort de l'empereur Maximilien au
Mexique. Manet entreprend une série
de toiles sur ce thème.
Septembre : Manet assiste à l'enterrement
de Baudelaire.

In order to cash in on the Universal Exhibition,
Manet has a pavilion erected near the Pont
de l'Alma. Collective strategy: Fantin-Latour
exhibits his portrait of Manet (ill. p. 4)
and Zola publishes a caustic brochure.
June: Death of Emperor Maximilian
in Mexico. Manet begins a series
of canvases on this subject.
September: Manet attends Baudelaire's funeral.

1868

Mai : expose le *Portrait d'Émile Zola* **(ill. p. 30)**
au Salon.
Septembre : l'écrivain lui dédie *Madeleine Férat*.
Juillet : Manet fait la connaissance de
Berthe Morisot (1841-1895) et de sa sœur,
ainsi que de Léon Gambetta (1838-1882).

May: exhibits the *Portrait of Émile
Zola* (ill. p. 30) at the Salon.
September: the writer dedicates
Madeleine Férat to him.
July: Manet makes the acquaintance of
Berthe Morisot (1841–1895) and her sister,
and also Léon Gambetta (1838–1882).

1869

Janvier-février : Manet se voit signifier
l'interdiction d'exposer *L'Exécution
de l'empereur Maximilien* **(ill. p. 41)**, et d'éditer
la lithographie qui en dérive. Zola dénonce
dans la presse cette double censure.
Le Balcon **(ill. p. 28)**, première apparition de
son amie Berthe Morisot, et *Le Déjeuner dans
l'atelier* sont présentés en mai au Salon.

January–February: Manet is informed of a ban
on his exhibiting *The Execution of the Emperor
Maximilian* (ill. p. 41) and on his publishing the
lithograph derived from it. In the press, Zola
denounces this double act of censorship.
The Balcony (ill. p. 28), his friend Berthe
Morisot making her debut appearance,
and *The Luncheon in the Studio* are
presented at the Salon in May.

Félix Nadar, *Portrait de Charles Baudelaire*
entre 1854 et 1860, Paris, musée d'Orsay

Félix Nadar, *Portrait of Charles Baudelaire*
between 1854 and 1860, Paris, Musée d'Orsay

1870

Mai : expose au Salon le portrait de son élève Éva Gonzalès. Fantin-Latour y présente *Un atelier aux Batignolles*, qui montre Manet entouré de ses « amis », de Zola et Astruc à Renoir et Monet. 4 septembre : après la défaite de Sedan et la déchéance de Napoléon III, la République est proclamée. Les Prussiens sont aux portes de Paris. Début du siège. Manet rejoint les rangs de la Garde nationale.

May: exhibits at the Salon the portrait of his pupil Éva Gonzalès. Fantin-Latour exhibits *A Studio in the Batignolles Quarter*, showing Manet surrounded by his "friends," Zola and Astruc to Renoir and Monet. September 4: after the defeat at Sedan and the fall of Napoleon III, the Republic is proclaimed. The Prussians are on the outskirts of Paris. Start of the siege. Manet joins the National Guard.

1871

Janvier-février : cessez-le-feu. Manet rejoint sa famille dans les Pyrénées. Mars-mai : Commune de Paris. Manet rentre peu après la « Semaine sanglante » (21-28 mai).

January February: cease-fire. Manet joins his family in the Pyrénées. March-May: Paris Commune. Manet returns shortly after the "Bloody Week" (May 21–28).

1872

Janvier : Durand-Ruel achète vingt-quatre tableaux à Manet. Mai : voyage en Hollande. Juillet : fréquente le café de La Nouvelle-Athènes, place Pigalle, comme Degas, Renoir, Monet et Pissarro.

January: Durand-Ruel buys twenty-four paintings by Manet. May: Travels to Holland (Haarlem and Amsterdam). July: He is a regular at the Café de La Nouvelle-Athènes on Place Pigalle, like Degas, Renoir, Monet, and Pissarro.

1873

Mai : expose au Salon *Le Bon Bock*, allégorie patriotique. Septembre : chez Nina de Callias, fait la connaissance de Stéphane Mallarmé (1842-1898), avec lequel une durable amitié va se nouer.

May: exhibits at the Salon *Le Bon Bock*, a patriotic allegory. September: at Nina de Callias's, makes the acquaintance of Stéphane Mallarmé (1842–1898), the start of a lasting friendship.

1874

15 mai : première exposition des « impressionnistes », à laquelle Manet volontairement ne participe pas. Durant l'été, il visite Monet et fait plusieurs portraits de lui.

May 15: first exhibition by the "Impressionists," in which Manet deliberately takes no part. During the summer, he visits Monet and does several portraits of him. December 22: Manet's brother Eugène marries Berthe Morisot.

1875

Mai : expose *Argenteuil* au Salon. La presse en fait le chef de l'école impressionniste par dérision ou provocation. Manet illustre la traduction du *Corbeau* d'Edgar Poe par Mallarmé. Octobre : voyage à Venise avec sa femme Suzanne et le peintre James Tissot (1836-1902).

May: exhibits *Argenteuil* at the Salon. Whether derisively or provocatively, the press makes him the head of the Impressionist school. Manet illustrates Stéphane Mallarmé's translation of *The Raven* by Edgar Allan Poe. October: trip to Venice with his wife Suzanne and the painter James Tissot (1836–1902).

1876

Avril : après le refus du Salon, Manet présente ses œuvres dans son atelier. Nouvel article vengeur de Mallarmé.

April: after his paintings are rejected for the Salon, Manet presents his works in his studio. Another vengeful article from Mallarmé, whose *Afternoon of a Faun* Manet has just illustrated.

1877

Nouvel affront en avril : seul *Faure dans le rôle d'Hamlet* **(ill. p. 34)** est admis au Salon. Refusé, *Nana* est montré dans la vitrine du marchand Giroux, boulevard des Capucines. Grand succès et article très enthousiaste de Joris-Karl Huysmans (1848-1907).

Another affront in April: only *Faure in the Role of Hamlet* (ill. p. 34) is admitted to the Salon. *Nana* is refused, and is shown in the dealer Giroux's window on the Boulevard des Capucines. Great success and an extremely favorable article by Joris-Karl Huysmans (1848–1907).

1879

Mai : expose au Salon *En bateau* et *Dans la serre*. Réception critique de son œuvre en hausse. Manet, souffrant de la syphilis, part en cure de repos à Bellevue.

May: exhibits at the Salon *Boating* and *In the Conservatory*. Critical reception of his work increasing. Manet, suffering from syphilis, leaves for a rest cure at Bellevue.

1880

Exposition particulière dans les salons de la Vie moderne en avril. Vrai succès critique. Mai : expose au Salon le *Portrait de M. Antonin Proust* et *Chez le père Lathuille, en plein air* **(ill. p. 36)**. La santé de Manet se détériore.

Private show in the salons of La Vie Moderne in April. Genuine critical success. May: exhibits at the Salon the *Portrait of M. Antonin Proust* and *Chez le père Lathuille, en plein air* (ill. p. 36). Manet's health declines.

1881

Mai : expose au Salon le *Portrait de M. Pertuiset* et le *Portrait d'Henri Rochefort*. Novembre-décembre : Antonin Proust est nommé ministre des Beaux-Arts et Manet promu chevalier dans l'ordre de la Légion d'honneur.

May: exhibits at the Salon the *Portrait of M. Pertuiset* and the *Portrait of Henri Rochefort*. November–December: Antonin Proust is appointed Fine Arts minister and Manet is made a knight in the Legion of Honor.

1882

Mai : expose *Jeanne* et *Un bar aux Folies-Berg* au Salon. Septembre : son état de santé empirant, Man rédige son testament en désignant Suzanne comme légataire universelle et Léon Leenho comme héritier, après la mort de sa mère.

May: exhibits *Jeanne* and *A Bar at the Folies-Bergère* at the Salon. September: as his health worsens, Manet draws up his will, appointing Suzanne as his sole legatee and Léon Leenhoff as his heir, upon his mother's death.

1883

Février-mars : expose *Coin de café-concert* au Salon des Beaux-Arts de Lyon. Manet s'éteint le 30 avril. Il est enterré au cimetière de Passy.

February–March: exhibits *Coin de café-concert* at the Salon des Beaux-Arts, Lyon. Manet dies on April 30. He is buried in the cemetery at Passy.